A Luz Helena, mi hermana
G. C. D.

DIRECCIÓN EDITORIAL: Adriana Beltrán Fernández
COORDINACIÓN DE LA COLECCIÓN: Karen Coeman
ASESORÍA EDITORIAL: Dolores Prades
CUIDADO DE LA EDICIÓN: Olivia Villalpando y Ariadne Ortega
DISEÑO Y FORMACIÓN: Maru Lucero

Maia

Texto D. R. © Gloria Cecilia Díaz
Ilustraciones D. R. © José Rosero

Editado por Ediciones Castillo por acuerdo con Babel Libros SAS,
Calle 39A, 20-55, Bogotá, Colombia.

PRIMERA EDICIÓN: enero de 2013
D. R. © 2013, Ediciones Castillo, S. A. de C. V.
CUARTA REIMPRESIÓN: abril de 2022
D. R. © 2022, Macmillan Educación, S. A. de C. V.
Castillo ® es una marca registrada.
Macmillan Educación forma parte de Macmillan Education.

Insurgentes Sur 1457, piso 25,
Insurgentes Mixcoac, Benito Juárez,
C. P. 03920, Ciudad de México, México.
Teléfono: 55 5482 2200
Lada sin costo: 800 536 1777
www.edicionescastillo.com

ISBN: 978-607-463-757-1

Miembro de la Cámara Nacional de la Industria Editorial Mexicana.
Registro núm. 3993

Impreso en México / *Printed in Mexico*

GLORIA CECILIA DÍAZ
Ilustraciones de **JOSÉ ROSERO**

Maia

CASTILLO DE LA LECTURA

Maia acariciaba con mucho cuidado el pelaje gris plateado de Ioda, tratando de no tocar lo que quedaba de su pata delantera derecha. Ioda maullaba y la mirada de sus preciosos ojos amarillos, iba de su muñón vendado a Maia, como si quisiera hablarle de su sufrimiento.

—Te vas a aliviar —le decía Maia con
dulzura—. Tu pata va a crecer de nuevo,
ya verás.

Entonces, Ioda dejaba de maullar,
como si las palabras de la niña
le dieran confianza.

Maia no quería acordarse,
pero las imágenes se le venían
a la cabeza una y otra vez:

... Ioda atravesando la calle a toda velocidad,
... el carro que frenaba bruscamente,
... la señora que salía de su carro, lívida.

Su papá que la soltaba de la mano
para ayudar a Ioda. Su grito y su huida
al interior de la casa, buscando los brazos
de su mamá.

Unas horas después del accidente,
su papá, que había llevado a Ioda a la clínica
veterinaria, le dijo al volver, que el doctor
había tenido que amputar gran parte
de la pata de Ioda, pero que se curaría.
Caminaría, cojeando sí, pero que volvería
a caminar. Agregó también que su gata
debía quedarse unos días en la clínica.

—Ioda no va a cojear porque su pata
va a crecer —dijo Maia con firmeza.

Los papás se miraron asombrados.

—No, tesoro —le dijo su mamá—,
eso no es posible, su pata no crecerá.

—¡Claro que sí! Cuando cortas las ramas
de tus plantas, éstas vuelven a crecer
—replicó Maia con rabia.

—Pero, Ioda no es una planta —dijo
su papá—. De ahora en adelante hay
que aceptarla como es.

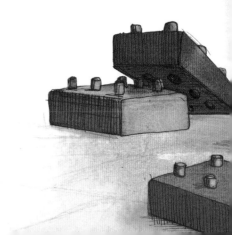

—¡No, no y no! —gritó Maia llorando
a lágrima viva.

Los papás no insistieron, pensaron
que lo mejor era dejarla tranquila.
Y que poco a poco su hija comprendería.
Pero cuando la gata volvió, ellos
sorprendieron a Maia diciendo lo mismo:

—Vas a ver Ioda, tu pata va a crecer,
tienes que tener paciencia.

Y cuando le quitaron los vendajes,
Maia se quedaba horas viendo el pedazo
de pata de Ioda, como si a fuerza de
mirarlo pudiera comenzar a crecer.

—Maia, mi princesa, escúchame.
Deja de esperar lo que no sucederá
—le decía su papá.

Pero Maia no quería escuchar nada.

Sentía ganas de llorar al ver que Ioda
tenía tantas dificultades para caminar.

—No llores —le decía su mamá—,
aprenderá, dale tiempo.

Maia tampoco escuchaba a su mamá.
Pasaba mucho tiempo con Ioda, como
para compensar por adelantado el tiempo
que no estaría con ella luego, pues en
pocos días tenía que regresar a la escuela.
Se sentía muy orgullosa porque era
su último año en preescolar, el siguiente
iría a primero de primaria.

El primer día de clases, su papá
la acompañó hasta su nuevo salón.
Maia se sentía realmente grande, y cuando
su papá se fue no se puso a llorar, como
lo hacían los pequeños que entraban
por primera vez.

Apenas vio a Julieta, su mejor amiga,
le contó el accidente de Ioda, teniendo
cuidado de no mencionar que esperaba
que la pata de Ioda creciera. No sabía
por qué no le había dicho nada.

Nadia, su nueva maestra, tenía un peinado
que la hacía parecer un erizo, tenía además,
el cabello rojo, no como el de los pelirrojos,
sino como los corazones que ella pintaba
para su mamá.

También sus lentes y sus zapatos eran rojos. Maia pensó que seguramente ese era el color preferido de su maestra. A ella también le gustaba, hacía tiempo había pintado un sol rojo que su mamá pegó en la pared frente a su escritorio.

—Así me entibiará el alma cuando esté trabajando —le dijo su mamá, mientras lo fijaba en la pared.

La maestra pidió a los niños sentarse en círculo y cada uno se presentó. Había tres que se llamaban Nicolás, y Nadia les dijo a todos que tenían que idear algo para distinguirlos.

Había también una niña que parecía un poco asustada y que hablaba con un acento especial, se llamaba Valeria y era chilena, según dijo la maestra, señalándoles en el mapa de América, dónde quedaba su país.

—¡Qué estrechito es! —dijo uno de los Nicolases—. Seguro que en un día uno lo puede atravesar a pie.

Había también un niño de pelo castaño, su nombre era Matías. Cuando se presentó hubo un silencio total.

Maia sintió que sus ojos se llenaban de lágrimas e hizo esfuerzos para no sollozar.

Matías, muy sonriente, parecía no darse cuenta de la sorpresa y la molestia que causaban sus dedos atrofiados entre los niños. No tenía ni uno solo completo, sólo muñones.

Nadia, como si nada, hizo que los otros
terminaran de presentarse, pero los niños
ya no prestaban atención, no hacían sino
mirar las manos de Matías.

De regreso a casa, Maia fue a buscar a Ioda,
pero no la encontró en su sillón preferido,
donde había pasado toda su convalecencia.

—¿Has visto a Ioda, mamá?

Por respuesta, su mamá señaló lo alto
de una torre de libros.

—¿Cómo llegó hasta allá? —preguntó la
niña sorprendida.

—Sola, con sus tres patas y media
—le respondió su mamá.

Maia no lo creía.

Por la noche, cuando su mamá se sentó
al lado de su cama para leerle un cuento,
Maia le habló de Matías y de la especie
de miedo que había provocado en
su clase.

—¿Matías parecía triste? —le preguntó
su mamá.

—¡Ah, no! —respondió Maia con energía.

—Entonces, ¿por qué tener miedo de sus manos? Estoy segura de que se desenvuelve muy bien con sus pedazos de dedos.

Su mamá no se había equivocado.
Con el paso del tiempo, todos los niños
se dieron cuenta de que Matías era un
campeón con sus manos. Escribía su
nombre mejor que muchos de ellos,
dibujaba que daba gusto y sus recortes
eran geniales.

Además, les mostró la manera de
hacer una preciosa paloma de papel.
Les había dicho que ese arte
se llamaba origami. Maia no
sabía por qué la palabra origami
la había hecho pensar en
tiramisú, su postre preferido.

Ella y sus compañeros dejaron de mirar las manos de Matías cada vez que él estaba cerca de ellos y terminaron por olvidar que era un poco diferente. Un día, durante el recreo, Maia se acercó a Matías, que descansaba después de haber jugado como un loco con un balón.

—¿Sabes? —le dijo Maia—, tengo una gata
que se llama Ioda. Un carro la atropelló
y tuvieron que amputarle una pata...
—dudosa, continuó: Al principio, yo creía
que su pata iba a crecer...

—¿De verdad?, yo también creí lo mismo
de mis dedos, pero mamá me explicó que
yo había nacido así y que ellos no crecerían,
que tenía que aceptarme como era.

—Papá y mamá me dijeron lo mismo,
que debía aceptar a Ioda como era...

—¿Quieres un pedazo de chocolate?
—le preguntó Matías mientras sacaba
una barra de su bolsillo.

—Sí, me encanta el chocolate —le
respondió Maia.

Por la tarde, al volver de la escuela,
Maia sorprendió a Ioda corriendo
a toda velocidad detrás de una pelota.

—¡Eso, Ioda! ¡Eres una campeona!

La niña la tomó en sus brazos,
se sentó con ella en un sillón
y se puso a acariciarle el pelo,
mientras le hablaba de Matías.

Un rato después, la mamá las
encontró profundamente dormidas;
Maia con una sonrisa en los labios,
Ioda ronroneando...

... como sólo saben hacerlo los gatos felices.

Impreso en los talleres de
Grupo Gráfico Editorial, S. A. de C. V.
Calle B, núm. 8, Parque Industrial Puebla 2000,
C. P. 72225, Puebla, Puebla, México.
Abril de 2022.